Carta a D.

ANDRÉ GORZ

Carta a D.

História de um amor

TRADUÇÃO Celso Azzan Jr.
POSFÁCIO Josué Pereira da Silva

ANNABLUME

COSACNAIFY

Você está para fazer oitenta e dois anos. Encolheu seis centímetros, não pesa mais do que quarenta e cinco quilos e continua bela, graciosa e desejável. Já faz cinqüenta e oito anos que vivemos juntos, e eu amo você mais do que nunca. De novo, carrego no fundo do meu peito um vazio devorador que somente o calor do seu corpo contra o meu é capaz de preencher.

Eu só preciso lhe dizer de novo essas coisas simples antes de abordar questões que, não faz muito tempo, têm me atormentado. Por que você está tão pouco presente no que escrevi, se a nossa união é o que existe de mais importante na minha vida? Por que, em *Le Traître*, passei uma falsa imagem de você, que a desfigura? Esse livro deveria mostrar que a minha relação com você foi a reviravolta decisiva que me permitiu desejar viver. Por que, então, deixar de fora essa maravilhosa história de amor que nós tínhamos começado a viver sete anos antes? Por que eu não disse o que me fascinou em você? Por que eu a apresentei como uma coitadinha, "que não conhecia ninguém, não falava uma palavra de francês e que sem mim teria se destruído", se você tinha o seu círculo de amigos, fazia parte de um grupo de teatro de Lausanne e era esperada na Inglaterra por um homem determinado a se casar com você?

Na verdade, não explorei em profundidade aquilo a que me propunha ao escrever *Le Traître*. Para mim, ainda restam muitas questões a serem compreendidas e esclarecidas. Preciso reconstituir a história do nosso amor para apreender todo o seu significado. Ela foi o que permitiu que nos tornássemos o que somos; um pelo outro, um para o outro. Eu lhe escrevo para entender o que vivi, o que vivemos juntos.

Nossa história começou maravilhosamente, quase um amor à primeira vista. No dia em que nos encontramos, você estava acompanhada de três homens que pretendiam jogar pôquer com você. Você tinha cabelos *auburn**

* "Ruivo-acastanhado." [N. T.]

abundantes, a pele nacarada e a voz aguda das inglesas. Tinha acabado de chegar da Inglaterra, e cada um dos três homens tentava, num inglês sofrível, captar a sua atenção. Você se mantinha soberana, intraduzivelmente *witty*, bela feito um sonho. Quando nossos olhares se cruzaram, eu pensei: "Não tenho chance nenhuma com ela". E logo soube que o nosso anfitrião já a havia prevenido: "*He is an Austrian Jew. Totally devoid of interest*".*

Um mês depois cruzei com você na rua, fascinado por seus passos de dançarina. Depois, numa noite, por acaso, eu a vi de longe, saindo do trabalho e descendo a rua. Corri para alcançá-la. Você andava rápido. Tinha nevado. O chuvisco fazia cachos nos seus cabelos. Sem pôr muita fé, eu a convidei para dançar. Você simplesmente disse sim, *why not*. Era 23 de outubro de 1947.

Meu inglês era desajeitado, mas passável. Tinha se enriquecido graças a dois romances americanos que eu acabara de traduzir para a editora Marguerat. Durante essa nossa primeira saída, percebi que você havia lido muito, antes e depois da guerra: Virginia Woolf, George Eliot, Tolstói, Platão...

---

* *Witty*: "espirituosa"; "Ele é um judeu austríaco. Inteiramente desprovido de interesse." [N. T.]

Falamos de política britânica, das diferentes correntes dentro do Partido Trabalhista. De imediato, você já sabia distinguir entre o que é acessório e o que é essencial. Diante de um problema complexo, a decisão a tomar sempre lhe parecia óbvia. Você tinha uma confiança inabalável na justeza dos seus julgamentos. De onde você tirava essa segurança? E, no entanto, você também teve pais separados; deixou-os cedo, um depois do outro; nos últimos anos da guerra, morou sozinha com Tabby, o seu gato, e dividia com ele a sua comida racionada. E, por fim, saiu do seu país para explorar outros mundos. Em que poderia lhe interessar um *Austrian Jew* sem um tostão?

Eu não entendia. Não sabia que ligações invisíveis se teciam entre nós. Você não gostava de falar do seu passado. Pouco a pouco, compreenderei que experiência fundadora nos tornou subitamente próximos um do outro.

Nos encontramos de novo. Fomos dançar mais uma vez. Vimos juntos *Le Diable au corps*, com Gérard Philipe. Há no filme uma seqüência em que a heroína pede ao *sommelier* para trocar uma garrafa de vinho já aberta e bem consumida porque, segundo ela, dava para sentir o gosto da rolha. Tentamos reeditar essa manobra numa boate, e o *sommelier*, depois de verificar, contestou o diagnóstico. Diante de nossa insistência, ele nos mandou às favas, com muita determinação: "Nunca mais ponham os pés aqui!". Fiquei espantado com o seu sangue-frio e a sua sem-cerimônia. Pensei comigo mesmo: "Fomos feitos para nos entendermos".

Depois da terceira ou quarta saída, eu afinal beijei você.

Não tínhamos pressa. Eu despi o seu corpo com cautela. Descobri, miraculosa coincidência do real com o imaginário, a Vênus de Milo tornada carne. O brilho nacarado do pescoço iluminava o seu rosto. Mudo, contemplei longamente esse milagre de vigor e de doçura. Compreendi com você que o prazer não é algo que se tome ou que se dê. Ele é um jeito de dar-se e de pedir ao outro a doação de si. Nós nos doamos inteiramente um ao outro.

Durante as semanas que se seguiram, nos reencontramos quase todas as noites. Você dividiu comigo o velho sofazinho afundado que me servia de cama. Ele tinha apenas sessenta centímetros de largura, e nós dormíamos apertados, um contra o outro. Além do sofazinho, meu quarto só tinha uma estante de livros feita de tábuas e tijolos, uma mesa enorme, atulhada de papéis, uma cadeira e um fogareiro. Você não se espantava com o meu cenobitismo.* Também não me espantava que você o aceitasse.

Antes de conhecê-la, eu nunca tinha passado mais de duas horas com uma moça sem ficar entediado e sem deixá-la saber que eu me sentia assim. O que me cativava é que você me dava acesso a outro mundo. Os valores que dominaram a minha infância não existiam nele. Esse mundo me encantava. Eu podia escapar ao entrar nele, sem obrigações nem pertencimento. Com você, eu estava em outro lugar; um lugar estrangeiro, estrangeiro a mim mesmo. Você me dava acesso a uma dimensão de alteridade suplementar – a mim, que sempre rejeitei toda identidade e juntei uma identidade na outra, sem que nenhuma fosse realmente a minha. Falando com você em inglês, eu fazia minha a *sua* língua. Até hoje continuo a me dirigir a você em inglês, mesmo quando você responde em francês. O inglês, que eu conhecia principalmente por você e pelos livros, desde o início foi para mim uma língua particular que preservava a

* Vida monástica, retirada do mundo. [N. T.]

nossa intimidade contra a irrupção das normas sociais circundantes. Eu tinha a impressão de construir com você um mundo protegido e protetor.

A coisa não teria sido possível se você tivesse um sentimento forte de pertencimento nacional, de enraizamento na cultura britânica. Mas não. Você mantinha, em relação a tudo o que é *british*, uma distância crítica que não excluía a cumplicidade com o que lhe é familiar. Eu dizia que você era uma *export only*, ou seja, um desses produtos reservados só para exportação, não encontráveis nem na própria Grã-Bretanha.

Nós nos interessamos passionalmente pelo resultado das eleições na Grã-Bretanha, mas só porque o que estava em jogo era o futuro do socialismo, não o do Reino Unido. A pior injúria que alguém poderia lhe fazer era explicar pelo patriotismo o partido que você tomava. Disso eu ainda teria bem mais tarde uma prova, durante a invasão das Malvinas pelas forças argentinas. A um ilustre visitante, que pretendia explicar pelo patriotismo o partido que você havia tomado, você respondeu com rudeza que só os imbecis não conseguiam ver que a Argentina levava aquela guerra adiante para lustrar o brasão de uma execrável ditadura militar e fascista, da qual, por fim, a vitória britânica precipitaria o desmoronamento.

Mas estou antecipando as coisas. Durante aquelas primeiras semanas, encantava-me a liberdade que você manifestava em relação à sua cultura de origem, mas também a substância dessa cultura, tal como ela lhe foi transmitida quando pequena. Uma certa maneira de zombar das provações mais sérias; um pudor travestido de humor, e mais particularmente as suas *nursery rimes* ferozmente *non-sensical* e sabiamente ritmadas. Por exemplo: "*Three blind mice/ See how they run/ They all run after the farmer's wife/ Who cut off their tails with a carving knife/ Did you ever see such fun in your life/ as three blind mice?*".*

Eu queria que você me contasse a sua infância em sua realidade trivial. Eu soube que você cresceu na casa do seu padrinho, uma casa na praia, com jardim; com o Jock, o seu cachorro, que enterrava ossos nos canteiros e depois não mais conseguia encontrá-los; soube que seu padrinho tinha um receptor de rádio cujas pilhas precisavam ser recarregadas toda semana. Soube que você costumava quebrar o eixo do seu triciclo descen-

* "Rimas para ninar"; "absurdas"; em tradução livre, "Eram três cegos camundongos/ Correndo que nem sonsos/ Do cutelo da mulher do mocorongo./ Você já viu tamanho assombro?/ Já provou um picadinho assim tão longo?/ Picadinho de rabo de cegos camundongos?." [N. T.]

do o meio-fio sem se levantar; que na escola você resolveu escrever com a mão esquerda, e se sentou sobre as duas mãos, desafiando a professora que insistia em forçá-la a escrever com a direita. Seu padrinho, que tinha autoridade, falou que a professora era uma imbecil e passou-lhe uma descompostura. Compreendi então que o espírito da seriedade e o respeito à autoridade seriam sempre estranhos a você.

Mas nada disso dá conta da ligação invisível pela qual nós nos sentimos unidos desde o início. Por mais que tivéssemos sido profundamente diferentes, mas eu não deixava de sentir que alguma coisa fundamental era comum a nós, um tipo de ferida original – há pouco eu falava de "experiência fundadora": a experiência da insegurança. A natureza desta não era a mesma para você e para mim. Não importa: para ambos, ela significava que não tínhamos um lugar assegurado no mundo, e só teríamos aquele que fizéssemos para nós. Nós tínhamos de assumir a nossa autonomia, e eu descobriria em seguida que você estava muito mais preparada para isso do que eu.

Você viveu na insegurança desde a primeira infância. Sua mãe se casou muito jovem. Foi separada do marido quase no mesmo instante, pela guerra de 1914. Ao fim de quatro anos, ele retornou, inválido. Durante anos, tentou retomar a vida familiar. Por fim, foi morar numa residência militar.

Sua mãe, quase tão bonita quanto você, se posso me valer das fotos, conheceu outros homens. Um deles, apresentado sempre como seu padrinho, havia se retirado numa cidadezinha da costa, após ter percorrido o mundo. Você tinha uns quatro anos quando sua mãe a levou para morar com ele. Mas a relação não durou. Sua mãe foi embora uns dois anos depois, deixando-a com o seu padrinho, que era muito apegado a você.

Ao longo dos anos que se seguiram, ela voltava freqüentemente para revê-los. No entanto, cada uma dessas visitas terminava em brigas ásperas entre ela e aquele que você chamava de "padrinho", mas que, no íntimo, sabia que era seu pai. Cada um deles a chamava a tomar partido contra o outro.

Eu posso imaginar a sua perturbação, a sua solidão. Você pensava que, se o amor fosse aquilo, se um casal fosse aquilo, seria preferível viver sozinha e nunca se apaixonar. E como as disputas dos seus pais eram principalmente sobre questões de dinheiro, você pensava que para ser verdadeiro o amor deveria desprezar o dinheiro.

Desde os sete anos você soube que não poderia confiar em nenhum adulto. Nem na sua professora, que o seu padrinho tratava como uma imbecil; nem nos seus pais, que a faziam refém; nem no pastor que, numa das visitas que fazia ao seu padrinho, pôs-se a vociferar contra os judeus. Você disse a ele: "Mas Jesus era judeu!". "Minha criança querida", redargüiu ele, "Jesus era filho de Deus."

Você não tinha nenhum lugar que fosse seu no mundo dos adultos. Estava condenada a ser forte porque todo o seu universo era precário. Eu sempre senti, ao mesmo tempo, a sua força e a sua fragilidade subjacente. Eu gostava da sua fragilidade superada, admirava sua força frágil. Nós éramos, eu e você, filhos da precariedade e do conflito. Fomos feitos para nos proteger mutuamente contra ambos, e precisávamos criar juntos, um pelo outro, o lugar no mundo que originalmente nos tinha sido negado. Para isso, no entanto, seria necessário que o nosso amor fosse *também* um pacto para a vida inteira.

Eu nunca tinha formulado tudo isso tão claramente. Mas no fundo de mim mesmo sabia disso. Sentia que você também sabia. Mas a estrada foi longa, até que essas evidências vividas abrissem um caminho no meu modo de pensar e de agir.

Tivemos de nos deixar no fim do ano. Eu havia sido separado da minha família quando tinha dezesseis anos, e voltaria a vê-la com quase vinte e cinco, a guerra terminada. Minha família se tornara tão estrangeira para mim quanto meu próprio país. Eu estava decidido a voltar a Lausanne após algumas semanas, mas você receava que a família me retivesse. Um amigo nos emprestou o apartamento dele para os nossos dois últimos dias. Tivemos então uma cama de verdade e uma cozinha onde você preparou uma refeição de verdade. Fomos juntos para a estação, em silêncio. Hoje, acho que deveríamos ter ficado noivos naquele dia, eu estaria pronto para isso. Na plataforma da estação, tirei do bolso uma corrente de relógio, de ouro, que eu tinha de devolver ao meu pai, e pendurei no seu pescoço.

Durante minha visita a Viena, fiquei na maior sala do apartamento, com o piano de cauda, a biblioteca, os quadros. Eu me fechava ali de manhã, saía às escondidas para explorar as ruínas da cidade velha e só via os membros de minha família na hora das refeições. Eu reescrevia o capítulo 2 do *Essai*, "*La conversion esthétique, la joie, le Beau*"; e lia *Three Soldiers*, de Dos Passos, e *Le Concept de médiation dans la philosophie de Hegel* (não garanto a exatidão do título). No fim de janeiro, anunciei à minha mãe que iria voltar para a "minha casa", em Lausanne, para o meu aniversário. "Mas o que é que te prende lá?", ela perguntou. Eu disse: "Minha cama, meus livros, meus amigos e uma mulher, que eu amo". Eu só tinha lhe mandado uma carta, na qual descrevia Viena e a mentalidade da minha família, desejando que você nunca os encontrasse. Naquele dia, mandei um telegrama: "*Till Saturday dearest*".*

Acho que você já estava no meu quarto quando cheguei. Dava para abrir a fechadura com um canivete ou grampo de cabelo. Estávamos em fevereiro e, com a calefação a lenha apagada, o único jeito de nos mantermos aquecidos era ficar na cama. A precisão das lembranças que eu guardo me diz a que ponto eu a amava, a que ponto nós nos amávamos.

Ao longo dos três meses que se seguiram, pensamos em casamento. Eu tinha objeções de princípio, ideológicas. Para mim o casamento era uma instituição burguesa; eu considerava que ele codificava juridicamente e socializava uma relação que, sendo de amor, ligava duas

* "Até sábado, meu amor." [N. T.]

pessoas no que elas tinham de menos social. A relação jurídica tinha a tendência, e até mesmo a missão, de se tornar autônoma no que se refere à experiência e aos sentimentos dos parceiros. Eu dizia: "O que nos prova que, em dez ou vinte anos, nosso pacto para a vida inteira corresponderá ao desejo do que teremos nos tornado?".

A sua resposta era incontornável: "Se você se une a alguém para a vida inteira, os dois estão pondo em comum sua vida e deixarão de fazer o que divide ou contraria a união. A construção do casal é um projeto comum aos dois, e vocês nunca terminarão de confirmá-lo, de adaptá-lo e de reorientá-lo em função das situações que forem mudando. Nós seremos o que fizermos juntos". Era quase Sartre.

Em maio, tínhamos chegado a uma decisão de princípio. Eu a comuniquei à minha mãe, pedindo que nos mandasse os documentos necessários. Ela respondeu enviando-me uma análise grafológica segundo a qual eu e você tínhamos características incompatíveis. Lembro daquele 8 de maio. Foi o dia em que a minha mãe chegou a Lausanne. Eu tinha decidido que nós iríamos encontrá-la juntos, em seu hotel, às quatro horas.

Você ficou sentada no saguão do hotel enquanto eu ia avisar minha mãe. Ela estava deitada na cama, com um livro. “Vim com a Dorine”, eu disse. “Quero apresentá-la para você.” “Quem é Dorine?”, perguntou minha mãe. “O que eu tenho a tratar com ela?” “Vamos nos casar.” Minha mãe estava fora de si. Começou a enumerar todas as razões pelas quais o casamento estava fora de questão. “Ela está esperando lá embaixo”, disse eu. “Você não quer vê-la?” “Não.” “Então eu vou embora.”

“Venha, vamos embora”, eu lhe disse. “Ela não quer vê-la.” Você mal teve tempo de pegar as suas coisas quando minha mãe, essa grande dama, foi descendo pela escada, exclamando: “Dorine, minha querida, como estou feliz por até que enfim te conhecer!”. Sua naturalidade soberana, sua distinção bem à mostra: como eu estava orgulhoso de você diante daquela grande dama, vaidosa da educação que dera ao filho! Como eu estava orgulhoso do seu desprezo pelas questões financeiras que, para a minha mãe, eram um obstáculo redibitório à nossa união.

Tudo então poderia ter se tornado bastante simples. A mais radiante criatura da Terra estava prestes a partilhar a sua vida comigo. Você era convidada à “boa sociedade” que eu nunca havia freqüentado; os amigos me invejavam; os homens se voltavam para você quando andávamos de mãos dadas. Por que você havia escolhido este *Austrian Jew* sem um tostão? No papel, eu era capaz de demonstrar – invocando Hero e Leandro, Tristão e Isolda, Romeu e Julieta – que o amor é o fascínio recíproco de duas pessoas por aquilo que elas têm de menos dizível, de menos socializável; de refratário aos papéis e imagens delas mesmas que a sociedade lhes impõe; aos pertencimentos culturais. Nós podíamos pôr quase tudo em comum exatamente porque a princípio não tínhamos quase nada. Bastava que eu consentisse em viver o que eu estava vivendo, em amar mais do que tudo o seu olhar, a sua voz, o seu cheiro, seus dedos afilados, o seu jeito de habitar o seu corpo, para que todo o futuro se abrisse para nós.

Era isso: você havia me dado a possibilidade de escapar de mim mesmo e de me instalar num outro lugar, do qual você me trouxera a notícia. Com você, eu podia deixar de férias a minha realidade. Você era o complemento da irrealização do real, estando eu mesmo nele compreendido desde sete ou oito anos antes, através da atividade de escrever. Você era quem punha entre parênteses esse mundo ameaçador, no qual eu era um refugiado de existência ilegítima, cujo futuro nunca ultrapassava três meses. Eu não tinha a menor vontade de voltar à Terra. Encontrava refúgio numa experiência maravilhosa e não aceitava que ela fosse alcançada pela realidade. Eu recusava, no fundo de mim mesmo, aquilo que, na idéia e na realidade do casamento, implica esse retorno ao real. Até onde consigo lembrar, eu sempre procurei não existir. Você deve ter trabalhado anos a fio até me fazer assumir minha existência. E esse trabalho, estou certo disso, nunca se completou.

Há muitas outras maneiras de explicar minhas reticências diante do casamento. Elas têm dimensões teóricas, ideológicas, que as racionalizam, mas seu primeiro significado foi este que acabo de resumir.

Eu levava adiante, então, sem muito entusiasmo, os trâmites administrativos que o nosso casamento exigia. Eu devia ter percebido que não existia, para você, nenhuma relação com uma legalização, uma socialização da nossa união. Ela deveria significar tão-somente que nós estávamos juntos pra valer, que eu estava pronto para concluir com você aquele pacto para a vida inteira, pelo qual um prometia ao outro a sua lealdade, a sua devoção e a sua ternura. Você sempre foi fiel a esse pacto, mas não estava segura de que eu, de minha parte, soubesse me manter fiel a ele. Minhas reticências e meus silêncios alimentavam as suas dúvidas. Até aquele dia de verão em que você me disse calmamente que não queria mais esperar minha decisão. Você era capaz de compreender que eu não quisesse passar a vida ao seu lado. Nesse caso, preferia deixar-me antes que o nosso amor se desgastasse em brigas e traições. "Os homens não sabem romper", você dizia. "As mulheres preferem que a ruptura seja clara." O melhor, segundo você, era a gente se separar por um mês, para me dar tempo de decidir o que eu queria.

Eu soube naquele momento que não tinha necessidade de nenhum prazo para refletir; que teria saudades para sempre se a deixasse partir. Você foi a primeira mulher que consegui amar de corpo e alma, com quem eu me sentia em ressonância profunda; meu primeiro amor verdadeiro, para dizer tudo. Se eu fosse incapaz de amá-la de verdade, nunca poderia amar ninguém. Encontrei palavras que nunca soubera pronunciar; palavras para lhe dizer que eu queria que permanecêssemos juntos para sempre.

Você foi embora dois dias depois, para a casa de uns amigos que tinham uma grande propriedade rural. Havia se hospedado lá assim que a guerra acabara. Criou na mamadeira um cordeirinho que, como numa das suas *nursery rimes*, seguia-a por onde você fosse. Pensei na felicidade que os animais lhe proporcionavam, no proprietário do lugar, que estava apaixonado e convencido de que você ia aceitar se casar com ele depois da sua temporada "no continente".

Você havia me prometido que voltaria, mas eu não estava inteiramente certo disso. Você podia fazer a sua vida sem mim muito mais facilmente do que comigo; não precisava de ninguém para construir o seu lugar no mundo. Você tinha uma autoridade natural, o senso do contato e da organização; tinha humor; ficava à vontade e deixava os outros à vontade em todas as situações; não demorava a se tornar confidente e conselheira das pessoas à sua volta. Você apreendia intuitivamente, com uma rapidez espantosa, os problemas dos outros, e os ajudava a enxergar mais claro dentro de si mesmos. Eu lhe escrevia todos os dias, aos cuidados de uma viúva de guerra muito idosa que vivia em Londres com uma libra por semana. Você gostava muito dela. Minhas cartas eram ternas. Eu estava consciente de precisar de você para encontrar o meu caminho; de só poder amar você.

Você voltou no final do verão para compartilhar o meu despojamento, e entrou na vida de Lausanne com uma facilidade que eu jamais consegui. Eu freqüentava principalmente os membros de uma associação de ex-estudantes de Letras. Ao cabo de alguns meses, o seu grupo de amigos – e de admiradas amigas – estava maior que o meu. Você fazia parte de uma companhia teatral fundada por Charles Apothéloz. O seu grupo se chamava Les Faux Nez,* título de uma peça que "Apoth" tinha escrito a partir de um roteiro de Sartre, publicado na *Revue du Cinéma*, em 1947. Você participava dos ensaios dessa peça e a interpretou em três apresentações, em Lausanne e Montreux.

Graças ao teatro, os seus conhecimentos de francês certamente puderam avançar mais rápido do que graças a mim. Eu pretendia fazer você utilizar um método alemão que consiste em aprender de cor pelo menos trinta páginas de um livro. A gente escolheu *O estrangeiro*, de Camus, que começa assim: "Hoje, mamãe morreu. Ou talvez ontem, não sei bem. Recebi um telegrama do asilo: 'Sua mãe faleceu. Enterro amanhã. Sentidos pêsames'". Essa primeira página até hoje nos faz rir quando a lemos.

Em pouco tempo, você conseguiu ganhar mais dinheiro que eu: a princípio, com aulas de inglês; depois

* Em francês, "Os narizes falsos". [N. T.]

como secretária de uma escritora britânica que ficou cega. Você fazia as leituras para ela, ela lhe ditava a correspondência; à tarde você a levava para passear por uma hora, conduzindo-a pelo braço. Ela lhe pagava, na informalidade, é claro, metade do que a gente precisava para subsistir. Você começava o seu trabalho às oito horas e, quando voltava para casa, na hora do almoço, eu tinha acabado de me levantar. Escrevia até uma da madrugada, às vezes até as três. Você nunca protestou. Eu estava no segundo volume do ensaio que deveria analisar as relações interpessoais de acordo com uma hierarquia ontológica. Tive muitas dificuldades com o amor (ao qual Sartre dedicou umas trinta páginas de *O Ser e o Nada*), pois é impossível explicar filosoficamente por que amamos e queremos ser amados por determinada pessoa, excluindo todas as outras.

Na época, não procurei a resposta para tal questão na experiência que estava vivendo. Não descobri, como faço agora, qual era o alicerce do nosso amor. Nem que o fato de estar dolorosa e deliciosamente obcecado pela coincidência sempre prometida e evanescente do gosto que temos por nossos corpos – e quando digo corpo, não esqueço que "a alma *é* o corpo" tanto para Merleau-Ponty como para Sartre –, nos remete a experiências fundadoras cujas raízes estão mergulhadas na infância: na descoberta primeira, originária, das emoções que uma voz, um cheiro, uma cor de pele, um jeito de se mover e de ser, que serão para sempre a norma ideal, têm ressonância em mim. É isto: a paixão amorosa é um modo de entrar em ressonância com o outro, corpo e alma, e somente com ele ou ela. Estamos aquém e além da filosofia.

Nossos anos de dureza terminaram provisoriamente no verão de 1949. Nós dois militávamos nos Citoyens du Monde,* e vendíamos seu jornal, aos berros, nas ruas de Lausanne; por isso, seu secretário internacional, René Bovard, que tinha sido preso por objeção de consciência, propôs que eu me tornasse seu secretário em Paris: o secretário do secretário. Pela primeira vez na vida, eu estava contratado, com um salário normal. Nós descobrimos Paris juntos. E, como em todos os empregos que tive em seguida, você assumia a sua parte no trabalho que eu tinha a fazer. Volta e meia, ia até o escritório, ajudar na tabulação e na classificação das dezenas de

---

* Instituição fundada em 1949, voltada para a integração mundial. [N. T.]

milhares de cartas que tinham restado. Você participava da redação das circulares em inglês. Nós estabelecíamos relações com os estrangeiros que vinham visitar o escritório, convidávamos para almoçar. Não estávamos unidos apenas em nossa vida privada, mas também por uma atividade comum, na esfera pública.

No entanto, a partir das dez horas da noite eu me enfiava no *Essai*, e nele ficava até duas ou três da manhã. "*Come to bed*", dizia você, a partir das três horas, e eu respondia "*I am coming*", e você: "*Don't be coming, come!*".* Não havia nenhum sinal de reprovação na sua voz, e eu adorava que você reclamasse deixando-me todo o tempo de que eu necessitava.

Você dizia que tinha se unido a alguém que não podia viver sem escrever, e sabia que quem quer ser escritor precisa se isolar, tomar notas a qualquer hora do dia ou da noite; que seu trabalho com a linguagem continua mesmo depois de largar o lápis, e pode inesperadamente se apossar dele por completo, bem no meio de uma refeição ou de uma conversa. "Se eu pelo menos pudesse saber o que se passa na sua cabeça", você dizia

---

* Em inglês, "Vem pra cama", "Já estou chegando", "Não *esteja chegando*, vem!". [N. T.]

às vezes, diante de meus longos devaneios em silêncio. Mas você também sabia disso porque você mesma já tinha passado por isso: um fluxo de palavras procurando o arranjo mais cristalino; fiapos de frases continuamente remanejados; começos de idéias que ameaçavam desvanecer se uma senha ou um símbolo não conseguisse fixá-las na memória. Amar um escritor é amar que ele escreva, dizia você. "Então escreva!"

Nós não suspeitávamos que eu ainda precisaria de mais seis anos para terminar o *Essai*. Teria eu perseverado se soubesse disso? "Sem dúvida", você sempre me disse. O principal objetivo do escritor não é *o que* ele escreve. Sua necessidade primeira é escrever. Escrever, isto é, ausentar-se do mundo e de si mesmo para, eventualmente, fazer disso a matéria de elaborações literárias. É apenas num segundo momento que se põe a questão do "tema" a ser tratado. O tema é a condição necessária, necessariamente contingente da produção de escritos. Não importa qual tema é o melhor, desde que ele permita escrever. Durante seis anos, até 1946, eu mantive um diário. Escrevia para conjurar a angústia. Não importava o quê; eu era um escrevedor. O escrevedor só se tornará um escritor quando a sua necessidade de escrever for sustentada por um tema que permita e exija que essa necessidade se organize num projeto. Somos milhões a passar a vida escrevendo, sem nunca terminar nem publicar nada. Você mesma passou por isso. Você sabia, desde o início, que precisaria proteger meu projeto indefinidamente.

Nós nos casamos no início do outono de 1949, e nem nos passou pela cabeça pedir a licença a que tínhamos direito. Acho que o meu salário não era declarado. Separávamos, numa caderneta de poupança, o que ganhávamos além do salário mínimo, convencidos da precariedade do meu emprego nos Citoyens du Monde.

Na primavera de 1950, quando os Citoyens du Monde me deixaram desempregado, você me disse, de maneira bem simples: "A gente vai conseguir se virar sem eles". E, depois disso, encarou quase alegremente um longuíssimo ano de dureza. Você era o rochedo sobre o qual nós dois, nossa união podia ser construída. Não sei como foi que você fez para conseguir pequenos trabalhos. De manhã, você posava como modelo na Grande Chaumière.* Um pintor amador, corretor

---

* Academia de artes no bairro parisiense de Montparnasse. [N. T.]

de seguros aposentado, fazia-a posar duas horas por dia para compor o seu retrato. Você conseguiu alunos para as suas aulas de inglês. Um italiano, que havíamos ajudado quando estávamos nos Citoyens du Monde, contratou você e mais cinco ou seis pessoas para coletar papéis velhos.

Você foi guia de grupos de estudantes ingleses, para quem organizou uma semana de visitas. Eles sempre ficavam surpresos ao descobrir, nos Invalides, o culto que a França devotava a Napoleão. Para eles, Napoleão não passava de um ditador que tinha sido vencido por Wellington e deportado para uma ilha britânica. Você explicava tudo para eles. Vários professores e alunos continuaram a lhe escrever, mesmo depois de anos. Tinha algo de você em tudo o que você fazia. A penúria lhe dava asas. A mim, ela me deprimia.

Foi naquele momento, ou antes, ou depois? De todo modo, foi no verão; admirávamos as acrobacias aéreas das andorinhas no pátio do nosso prédio, e você disse: "Quanta liberdade por tão pouca responsabilidade!". Durante o almoço, observou: "Sabia que faz três dias que você não me diz uma palavra?". Eu me pergunto se, comigo, você não se sentia mais solitária do que se estivesse morando sozinha.

Naquela época eu não lhe dizia as razões de meu humor sombrio. Sentiria vergonha de dizer. Eu admirava sua segurança, sua confiança no futuro, sua capacidade de captar os instantes de felicidade que se ofereciam. Gostei de você ter ido almoçar com a Betty, tendo comido só uma porção de cerejas na Place Saint-Germain. Você tinha mais amigas que eu. Para mim, aquela penúria tinha um rosto angustiante. Eu tinha apenas um visto de residente temporário e, para prorrogá-lo, precisava de um emprego. Fui até Pantin, onde uma empresa química precisava de um documentalista-tradutor, mas eu era qualificado demais para o posto. Apresentei-me também numa seção de recrutamento de corretores de seguro, mas o trabalho consistia em bater de porta em porta e confundir as pessoas pobres para fazê-las assinar um contrato. Por intermédio de Sartre, consegui que Marcel Duhamel me deixasse traduzir um livro para a Série Noire,* mas isso não representou mais que seis semanas de trabalho e não seguiu em frente. Fiz um teste de tradução de alemão na Unesco e fiquei em segundo lugar, entre

* Série Noire: coleção de romances policiais criada por Duhamel em 1945 para a editora Gallimard. [N. T.]

trinta concorrentes. Todo mês, ia até lá para ver se havia uma vaga para mim, não importava qual fosse o trabalho. Fui descobrindo que não se chega a lugar algum sem "relações", mas nós simplesmente não as tínhamos, e ponto. Eu não tinha nenhum contato no meio intelectual, nem ninguém com quem pudesse trocar idéias nascidas da minha imaginação filosófica, fértil naquela época. Minha situação era de fracasso. Sua confiança me consolava, mas não me dava segurança. Finalmente, graças ao contato que eu tinha estabelecido na Unesco, arrumei um emprego temporário na embaixada da Índia, como secretário do adido militar. Eu dava duas horas de aulas diárias para as filhas dele e redigia relatórios sobre o equilíbrio de forças na Europa, relatórios que ele enviava para o governo sem sequer olhar. Isso pelo menos me permitia exercer parte dos meus talentos. Eu tinha o sentimento de não estar à sua altura; achava que você merecia mais.

Esse período de penúria terminou na primavera de 1951. Graças a um jornalista famoso que nos apresentou a Jane, uma amiga americana que víamos com freqüência, achei um trabalho que parecia feito para mim: cuidar do resumo da imprensa estrangeira, ao qual o jornal vespertino *Paris-Presse* dedicaria uma página inteira, todos os dias. A redação se encontrava num prédio prestes a desabar, na Rue du Croissant, pertinho do café onde Jean Jaurès* foi assassinado.

A "resenha da imprensa" recebia todo dia por volta de quarenta jornais ou semanários: todas as publicações britânicas, das mais sérias às mais frívolas; todas as revistas semanais americanas, três jornais que, com seus dois quilos de papel, alimentavam o fogãozinho de chapa que aquecia nosso apartamento de um só cômodo; a imprensa alemã, suíça, belga; e dois jornais italianos. Éramos apenas dois jornalistas para desbravar aquela massa de informações. Eu logo me tornei o principal redator do departamento. Você costumava ir à redação para examinar boa parte das publicações em inglês, recortar e classificar os artigos mais importantes. A sua elegância e o seu humor britânicos faziam subir a minha cotação junto aos meus chefes. Eu acumulava uma cultura jornalística enciclopédica sobre

* Militante socialista assassinado por um nacionalista radical às vésperas da Primeira Guerra Mundial. [N. T.]

quase todos os países e questões, inclusive as técnico-científicas, médicas e militares. Graças às dezenas de pastas que você alimentava dia após dia, eu conseguia, numa noite, escrever uma página inteira do jornal, sobre quase tudo e qualquer coisa.

Durante os trinta anos que se seguiram, você continuou a atualizar, a enriquecer, a cuidar da documentação que constituiu a partir de 1951. Ela me acompanhou em *L'Express*, em 1955; em *Le Nouvel Observateur*, em 1964; e meus empregadores posteriores sabiam que eu não podia trabalhar sem você.

Nosso espaço de vida em comum nunca tinha sido tão ampliado como passou a ser a partir de minha entrada nessa revista. Nós éramos complementares. Além da "resenha da imprensa", trabalho em tempo integral, eu também estava empregado em meio período no setor internacional. Eu me sentia perfeitamente "em casa" nesse trabalho: ele consistia em me situar num outro lugar, em só me ocupar do que fosse estranho para o meu grupo e para o público ao qual eu escrevia; em me fazer ausente. Eu destilava um olhar estrangeiro sobre o mundo, aprendia a me apagar diante dos fatos, a fazê-los dizer o que eu pensava. Eu aprendia as artimanhas da objetividade; estava no meu lugar por não estar. O *Essai* me tomava apenas das dez à meia-noite e os fins de semana.

Aquele teria sido um período feliz, de modo geral, se nós não tivéssemos de sair do quarto que uma amiga, que havíamos conhecido em Lausanne, nos emprestava fazia três anos, na Rue des Saints-Pères. O que encontramos foram dois quartinhos, separados pelo corredor, num prédio do *onzième*. Até então, havíamos vivido na pobreza, mas não na feiúra. Descobrimos que se é mais pobre na Rue Saint-Maur do que em Saint-Germain-des-Prés, mesmo ganhando mais. Você tinha a sensação de estar exilada naquele bairro. Quando não ia à redação, você se sentia isolada. Via mais raramente seus amigos, que estavam a pelo menos meia hora de metrô. Ao sair de casa, aonde quer que fosse, só via ruas desertas, lojas empoeiradas. Você foi ficando triste.

Depois de dois ou três anos nesse exílio, entramos num período feliz. Eu trabalhava na revista *L'Express*. A documentação que você havia constituído foi um trunfo para a minha contratação. Guardo a memória disso com precisão.

L'Express tinha se tornado diário para dar apoio à campanha eleitoral de Mendès France* em 1955-56. Quando o jornal se tornou novamente semanal, os jornalistas da edição diária, inclusive eu, seriam demitidos, a não ser que passassem pela prova da nova fórmula, desde os primeiros números. Eu me lembro de ter escrito um texto sobre a coexistência pacífica, citando um discurso em que Eisenhower, três anos antes, havia posto em evidência tudo o que aproximava os povos americano e soviético. Ninguém, na época, assinava artigos em *L'Express*. JJSS** citou os meus como um modelo do gênero, concluindo: "Eis alguém que conhece o valor da boa documentação". Nós tínhamos, eu e você, adquirido a fama de inseparáveis; "obsessivamente dedicados um ao outro", como Jean Daniel*** escreveria mais tarde. Consegui terminar o *Essai* durante aquelas

---

* Pierre Mendès France: político filiado ao Partido Radical, ajudou Gorz a obter a nacionalidade francesa em 1956. [N. T.]

** Jean-Jacques Servan-Schreiber: político e jornalista, fundou com Françoise Giroud, em 1953, o semanário *L'Express*, que em 1964 seria transformado em revista. [N. T.]

*** Jean Daniel Bensaïd: francês de origem argelina, foi um dos principais redatores de *L'Express*, de onde sairia em 1964 para fundar o semanário *Le Nouvel Observateur*, levando a ala esquerdista da redação – incluindo Michel Bosquet, pseudônimo jornalístico de Gorz. [N. T.]

semanas e, alguns dias depois, encontramos, na Rue du Bac, por um preço incrivelmente baixo, um apartamento pequeno em mau estado. Tudo o que esperávamos finalmente estava prestes a se realizar.

Já contei noutro lugar a acolhida de Sartre à enorme massa de laudas que eu lhe enviara. Compreendi então o que sempre soube, desde o começo: aquele manuscrito não encontraria um editor, mesmo que Sartre o recomendasse ("O senhor superestima meu poder", disse-me ele). Você foi testemunha de meu humor sombrio e, depois, dos desdobramentos imprevisíveis que experimentei: comecei então a escrever uma autocrítica devastadora que iria se tornar o início de um novo livro.

Perguntei-me como é que você era capaz de suportar o fracasso de um trabalho ao qual eu havia subordinado tudo desde que me conhecera. E eis que, para me libertar dele, eu me lançava de cabeça num novo empreendimento que iria me monopolizar sabe Deus por quanto tempo ainda. Mas você não mostrava nem preocupação, nem impaciência. "Sua vida é escrever; então escreva", repetia. Como se a sua vocação fosse a de me reconfortar na minha.

A nossa vida mudou; nosso pequeno apartamento atraía visitantes. Você tinha o seu grupo de amigos que vinham tomar uísque no final da tarde. Várias vezes por semana, organizava almoços ou jantares. Morávamos no centro do mundo. A diferença entre nossos contatos, nossos informantes e nossos amigos se atenuava. Branko, um diplomata iugoslavo, era tudo isso ao mesmo tempo. Tinha começado como responsável pelo centro de informação iugoslavo, na Avenue de l'Opéra, e terminara como primeiro-secretário da embaixada. Graças a ele, conhecemos certos intelectuais, franceses e estrangeiros, que nos ajudaram muito.

Você tinha o seu próprio grupo, a sua própria vida, mesmo participando plenamente da minha. No nosso primeiro *réveillon* com Castor,* Sartre e a "família" da *Temps Modernes*, ele lhe fez um galanteio com muita atenção, e deu para ver o júbilo no rosto dele quando você respondeu com a naturalidade irreverente que dirigia aos grandes deste mundo. Não sei se foi nessa ocasião, ou mais tarde, que um dos seus amigos, em

* Castor: como Sartre sempre se referiu a Simone de Beauvoir. *Les Temps Modernes*: revista de ciências humanas fundada pelo grupo de Sartre em 1945, em que Gorz se engajou entre 1967 e 74. [N. T.]

tom grave, me fez um alerta: "Cuidado, meu caro G. A sua mulher está mais linda do que nunca. Se eu decidir paquerá-la, serei ir-re-sis-tí-vel".

Foi na Rue du Bac que você se tornou plenamente você mesma. Trocou a voz virginal de inglesinha (que a Jane Birkin, dentre outras, nunca parou de cultivar) por uma voz impostada e grave. Reduziu o volume de seus lindos cabelos, nos quais eu adorava enfiar o rosto. Só conservou uma leve suspeita do sotaque inglês. Você lia Beckett, Sarraute, Butor, Calvino, Pavese. Seguia os cursos de Claude Lévi-Strauss no Collège de France. Quis aprender alemão e comprou os livros necessários. Eu a impedi de fazê-lo. "Não quero que você aprenda nem uma palavra dessa língua", eu lhe disse. "Nunca mais vou falar alemão." Você conseguia entender essa atitude, tendo ela vindo de um *Austrian Jew*.

Fizemos juntos quase todas as reportagens que realizei na França e no exterior. Você me fez tomar consciência dos meus limites. Nunca esqueci a lição que foram para mim os três dias em Grenoble com Mendès France. Foi uma das nossas primeiras reportagens. Fizemos nossas refeições com Mendès, visitamos os amigos dele e assistimos às suas entrevistas com os figurões da cidade. Você sabia que, paralelamente às entrevistas, eu ia conversar com os militantes *cédétistes*,* para os quais o patronato de Grenoble não encarnava exatamente "as forças vivas da nação". Você insistiu muito para que Mendès lesse minha "reportagem" antes que eu a enviasse. Ele lhe agradeceu por isso. "Se você publicar isso", me disse, "eu não poderei mais pôr os pés nesta cidade." Ele parecia mais divertido do que zangado; como se achasse normal que, na minha idade e no meu lugar, eu preferisse o radicalismo ao senso das realidades políticas.

Naquele dia me dei conta de que você tinha mais senso político que eu. Você percebia realidades que me escapavam porque não correspondiam à matriz que eu usava para ler o real. Tornei-me um pouco mais modesto; ganhei o hábito de fazer você ler meus artigos e manuscritos antes de enviá-los. Eu considerava as suas críticas praguejando: "Por que é que você sempre tem que ter razão?!".

A base sobre a qual a nossa união se erguia mudou no curso desses anos; nosso relacionamento se tornou o filtro pelo qual passava minha relação com o real. Uma inflexão se operou no nosso relacionamento. Durante

* Da Confédération Française Démocratique du Travail (CFDT). [N. T.]

muito tempo, você se deixou intimidar pelo meu lado peremptório; suspeitou que ali estava a expressão de conhecimentos teóricos que você não dominava. Pouco a pouco, você se recusou a se deixar influenciar. Melhor: se rebelou contra as construções teóricas, particularmente contra as estatísticas. Elas são tão menos comprobatórias quanto mais seu sentido advenha apenas de sua interpretação, dizia-me você. Ora, esta última não pode ter pretensões de rigor matemático, ao qual a estatística deve sua autoridade. Eu necessitava de teoria para estruturar meu pensamento, e argumentava com você que um pensamento não estruturado sempre ameaça naufragar no empirismo e na insignificância. Você respondia que a teoria sempre ameaça se tornar um constrangimento que nos impede de perceber a complexidade movediça da realidade. Tivemos essas discussões dezenas de vezes, e sabíamos de antemão o que o outro iria responder. No final das contas, elas eram uma espécie de jogo, mas nesse jogo você sempre ganhava. Você não precisava das ciências cognitivas para saber que, sem intuições ou afetos, não há nem inteligência, nem sentido. Imperturbáveis, as suas opiniões reivindicavam o fundamento da sua certeza vivida, comunicável, mas não demonstrável. A autoridade

– vamos chamar de ética – dessas opiniões não necessita do debate para se impor, enquanto a autoridade do julgamento teórico desmorona se não consegue convencer pelo debate. O meu "por que você sempre tem que ter razão?!" não tinha outro sentido. Acho que eu precisava mais do seu julgamento do que você do meu.

Nosso período na Rue du Bac durou dez anos. Eu não quero retraçá-los, mas esclarecer o seu significado: o da crescente comunhão das nossas atividades, ao mesmo tempo que ocorria uma crescente diferenciação das respectivas imagens que fazíamos de nós mesmos. Essa tendência continuou a se afirmar daí em diante. Você sempre fora mais adulta que eu, e se tornava ainda mais. Decifrava no meu olhar uma "inocência" de criança; você poderia ter dito "ingenuidade". Você ia se desenvolvendo sem essas próteses psíquicas que são as doutrinas teóricas e os sistemas de pensamento. Eu precisava dessas coisas para me situar no mundo intelectual, e não as questionava. Foi na Rue du Bac que escrevi três quartos do *Traître* e os três ensaios que o seguiram.

Le Traître foi publicado em 1958, dezoito meses depois do envio do manuscrito. Não fazia nem vinte e quatro horas que eu o havia deixado na editora Seuil, você recebeu um telefonema de Francis Jeanson, que lhe perguntou: "O que é que ele está fazendo agora?". "Escreve sem parar", você respondeu. Você compreendeu que Jeanson estava decidido a publicar aquele manuscrito.

Você sempre me disse que esse livro foi me transformando à medida que eu o escrevia. "Depois de terminá-lo, você não era mais o mesmo." Acho que estava enganada. O que me permitiu mudar não foi escrevê-lo; foi ter produzido um texto publicável e vê-lo publicado. Publicar mudou a minha situação. Conferiu-me um lugar no mundo, conferiu realidade ao que eu pensava, uma realidade que excedia minhas intenções; que me obrigava a me redefinir e a me ultrapassar continuamente para não me tornar o prisioneiro nem da imagem que os outros faziam de mim, nem de um produto que se tornara outro em relação a mim, por sua realidade objetiva. A magia da literatura: ela me dava acesso à existência na medida em que eu tinha me descrito, *escrito*, na minha recusa de existir. Aquele livro era o produto da minha recusa, *era* essa recusa, e, por sua publicação, me impedia de perseverar nessa recusa. Era precisamente o que eu tinha esperado, e que só a publicação permitiria que eu obtivesse: ser obrigado a me engajar além do que minha própria vontade me permitia; e me fazer perguntas, perseguir fins que eu não havia definido sozinho.

Assim, o livro não se tornará operante pelo trabalho da sua elaboração. Ele vai se tornar progressivamente operante à medida que me confronte com possibilidades e relações com os outros, inicialmente imprevistas. Vai se tornar operante, parece-me, em 1959; quando JJSS descobre em mim competências político-econômicas: eu não tinha que cuidar exclusivamente do *estrangeiro*. A atividade da escrita pode se encarregar da presença diante dos outros e do peso das realidades materiais. *Le Vieillissement* será a minha despedida da adolescência, minha renúncia ao que Deleuze-Guattari chamarão de "a ilimitação do desejo", e que Georges Bataille chamava de "a *omnidade* do possível",* à qual só se chega pela recusa indefinida de toda determinação: a vontade de não ser Nada se confunde com a de ser Tudo. No fim do *Vieillissement* se encontra esta auto-exortação: "É preciso aceitar ser finito: estar aqui e em nenhum outro lugar, fazer isto e não outra coisa, agora e não sempre ou nunca [...]; ter apenas esta vida".

---

* "*L'omnitude* du possible" traz um neologismo que representa o caráter próprio e distintivo daquilo que se define como Tudo. [N. T.]

Até 1958 ou 59, eu estava consciente de que, ao escrever *Le Traître*, não tinha liquidado meu desejo "de ser Nada, ninguém; inteiramente dentro de mim mesmo, não objetivável e não identificável". Consciente o bastante para notar que "essa reflexão sobre mim mesmo necessariamente confirmava e prolongava a escolha fundamental [da inexistência], logo não podia esperar alterá-la". E isso não apenas porque essa reflexão não me envolvia, mas também porque *eu* não *me* envolvia *nela* de verdade. Tinha decidido escrever na terceira pessoa para evitar a cumplicidade – a complacência – comigo mesmo. A terceira pessoa me mantinha à distância de mim mesmo, me permitia elaborar, numa linguagem neutra, codificada, um retrato quase clínico do meu jeito de ser e de funcionar. Esse retrato freqüentemente era feroz e carregado de escárnio. Eu evitava a armadilha da complacência para cair nesta outra: me comprazia na ferocidade da autocrítica. Eu era o puro olhar invisível, estranho ao que vê. Transformava aquilo que conseguia compreender de mim em conhecimento de mim e, com isso, nunca coincidia com aquele Eu que eu conhecia como Outro. Esse ensaio não parava de afirmar: "Veja, sou superior a quem eu sou". Preciso lhe explicar tudo isso porque essa atitude esclarece muitas coisas.

Li um tanto fugidiamente as provas do *Traître*. Nunca reli nenhum dos meus textos que se tornaram livros. Detesto a expressão "meu livro": vejo a essência da vaidade pela qual um sujeito se vangloria de qualidades que os outros lhe conferem, uma vez que ele mesmo é um Outro. O livro não é mais o "meu pensamento", uma vez que este se tornou um objeto no meio do mundo, algo que pertence aos outros e me escapa. Com *Le Traître*, desejara exatamente não "escrever um livro". Eu não queria entregar o resultado de uma investigação, mas escrever essa mesma investigação enquanto ela se efetuava, com suas descobertas em estado inicial, seus fracassos, suas pistas falsas, sua elaboração tateante de um método que nunca chega a termo. Estava consciente de que, "quando tudo tiver sido dito, tudo ainda ficará por dizer, sempre restará tudo a dizer" – em outras palavras, é o *dizer* que importa, não o *dito* –, isso que eu tinha escrito me interessava muito menos do que aquilo que eu poderia vir a escrever em seguida. Acho que isso é verdade para todo escrevedor/escritor.

Na realidade, a pesquisa pára no segundo capítulo. Desde antes do terceiro, eu sei *demasiadamente bem* o que vou encontrar e concluir. Maurice Blanchot notou isso em seu longo artigo: a conclusão (o capítulo "Eu") dá apenas uma forma coerente, sintética, ao diagnóstico que já estava no primeiro capítulo. Não oferece nenhuma descoberta. O terceiro e o quarto capítulos são colonizados por temas, reflexões que anunciam o livro seguinte, que os desenvolve.

O capítulo intitulado "Você", sobrecarregado de digressões, tem seu preço. Descobri isso com alguma consternação, depois que *Traître* saiu em edição de bolso, pela Folio. Eu tinha dado uma olhadela nas provas do livro, mas apenas para lhe devolver as nove ou dez páginas de cortes que eu fizera no capítulo intitulado "Você" vinte anos antes, para a edição inglesa, publicada pela Verso. Esses cortes eram particularmente sobre uma polêmica com Romain Rolland e sobre uma enorme "nota de rodapé" que ocupava quatro páginas inteiras em caracteres minúsculos. Essa digressão sobre filosofia e revolução alternava-se com a explicitação do "[meu] modo de conduzir os conflitos pessoais a uma figura do Conflito"; de "fugir para o reino das idéias, onde todas as coisas não passam de ilustrações contingentes de uma idéia geral". Denunciar essa atitude não me impedia de modo algum de perseverar nela. A seqüência do capítulo oferece exemplos quase caricaturais.

O capítulo deveria marcar a principal reviravolta da minha vida. Deveria mostrar como o meu amor por você – ou melhor, a descoberta do amor com você – por fim me levaria a querer existir; deveria mostrar como a minha relação amorosa com você iria se tornar a razão de uma conversão existencial. A narrativa então pára oito anos antes da redação do *Traître*, com o juramento de nunca me deixar separar de você. O "programa" estava completo. Compasso de espera. O capítulo muda de tema, descreve a centralidade do dinheiro, critica o modelo de consumo e o modo de vida capitalistas etc., todas as coisas que serão objeto da obra seguinte.

O problema é que não há nenhum traço de conversão existencial nesse capítulo; nenhum traço da minha, da nossa descoberta do amor, nem da nossa história. Meu juramento permanece apenas formal; eu não o assumo, não o concretizo. Pelo contrário, procuro em vão justificá-lo em nome de princípios universais, como se me envergonhasse dele. Tenho até a lucidez de notar: "Não é óbvio que eu falava de Kay como quem fala de uma fraqueza, e em tom de desculpa, como se fosse preciso desculpar-se por viver?".

O que, então, me motiva nesse capítulo, assim como, aliás, em todo o livro? Por que eu falo de você com uma espécie de condescendência leviana? Por que, no pouco espaço que lhe dou, você aparece desfigurada, humilhada? E por que os fragmentos que aludiam à nossa história se entrecruzam com uma outra história, que é a de um fracasso e de uma ruptura deliberada que eu me comprazia em analisar longamente? Eu me fiz essas perguntas ao me reler, consternado. O que me motiva, antes de mais nada, é claramente a necessidade obsessiva de me elevar acima daquilo que eu vivo, sinto e penso; para teorizá-lo, intelectualizá-lo, ser um puro espírito transparente.

Era essa a motivação ao longo de todo o *Essai*. Aqui ela está mais imediatamente visível. Eu afirmo falar de você como a única mulher que amei de verdade, e da nossa união como a decisão mais importante das nossas duas vidas. Mas fica claríssimo que essa história não me cativa, nem os sete anos que, no momento em que escrevi *Le Traître*, se passaram depois dessa decisão. Estar completamente apaixonado pela primeira vez, ser amado de volta, era aparentemente banal demais, e privado demais, *comum* demais: não era uma matéria apropriada para me fazer atingir o universal. Um amor naufragado, impossível, isso sim, ao contrário, rende a nobre literatura. Fico à vontade na estética do fracasso e da aniquilação, não na do êxito e da afirmação. Preciso me erguer acima de mim e de você, à nossa custa, à sua custa, por meio de considerações que ultrapassam nossas pessoas singulares.

O objetivo do capítulo era denunciar essa atitude, mostrar que ela nos conduziu às raias da separação e da ruptura; e que, para não perdê-la, eu teria de escolher: ou viver sem você, segundo meus princípios abstratos, ou livrar-me deles para viver com você: "[...] ele preferiu Kay aos princípios; mas de má vontade e sem se dar conta" dos sacrifícios bem reais – e não de princípios – com que você consentia.

O relato disso que apresento como uma conversão é, em seguida, envenenado por onze linhas que o desmentem. Eu me descrevo exatamente como era naquela primavera de 1948: insuportável. "Depois de se pôr a morar junto em seis metros quadrados [...], ele entrava e saía sem dizer uma palavra; passava os dias debruçado sobre os seus papéis e respondia [a Kay] com monossílabos impacientes. 'Você se basta', dizia ela. É verdade que não havia lugar para ninguém em particular na vida dele [...] porque, como indivíduo particular, ele não contava, nem lhe interessava que alguém pudesse se apegar a ele como indivíduo particular." Segue-se então uma página inteira do que eu mesmo qualifico de "digressões pretensiosas sobre o amor e o casamento".

Eu pareço julgar com severidade o que fui. Mas por que, nessa página e meia, escrita sete anos depois, em 1955 ou 56, há seis linhas que falam de você como uma coitadinha que "não conhecia ninguém", que "não falava nem uma palavra de francês" depois de seis meses na Suíça? Eu sabia, no entanto, que você tinha seu grupo de amigos, ganhava a vida melhor do que eu, era esperada na Inglaterra por um amigo fiel, determinado a se casar com você. Por que essas linhas detestáveis na seqüência?: "Kay, que, de um modo ou de outro [...], teria se destruído se ele a tivesse deixado...". Nove páginas adiante, no relato do meu "juramento", há cinco linhas de veneno. Você tinha me declarado – e minha desenvoltura seria previsível – que "se estivermos juntos por apenas um momento, [você] preferirá ir embora agora e levar intacta a lembrança do nosso amor". Acusei o golpe, mas novamente fazendo de você uma imagem de dar dó: "[...] se ele deixasse Kay ir embora, se tivesse de se lembrar por toda a vida que ela estaria se arrastando em algum lugar [...] a lembrança dele, buscando refúgio na devoção aos doentes ou nos deveres para com alguma família [...], ele seria um traidor e um covarde. Ademais, se ele não estava certo de que poderia viver com ela, parecia seguro de que não queria perdê-la. Ele apertou Kay contra seu corpo e disse, com uma espécie de entrega: 'Se você for embora, eu vou segui-la. Não seria capaz de suportar tê-la deixado partir'. E acrescentou, depois de um momento: 'Nunca'". Na verdade, eu disse naquele instante: "Eu te amo". Mas isso não aparece na narrativa.

Por que então eu pareço estar tão certo de que a nossa separação seria mais insuportável para você do que para mim? Para não confessar o contrário? Por que, afinal, eu disse ser o responsável pelo "rumo que a [sua] vida tomava, e que cabia a mim "tornar a [sua] vida vivível"? Ao todo, onze linhas de veneno em três doses, distribuídas em vinte páginas; três pequenos toques que a diminuem e a desfiguram, escritas sete anos depois; e que nos roubam o significado de sete anos da nossa vida.

Quem escreveu essas onze linhas? Quero dizer: quem era eu quando escrevi essas linhas? Sinto a dolorosa necessidade de nos devolver aqueles sete anos e aquela pessoa que de fato você era para mim. Já tentei nos restituir aqui grandes pedaços da história do nosso amor e da nossa união. Ainda não explorei o período durante o qual escrevi aquelas páginas. É nele que devo encontrar explicações. Lembro que 1955 foi um ano feliz, de modo geral. Eu ia para outra publicação. Tínhamos passado as férias na costa do Atlântico. Comecei *Le Traître* quando estava no *onzième*, torturado pela angústia. No último dia do ano, assinamos o contrato da Rue du Bac. Vivemos então meses de alegria e esperança.

Porém, à medida que eu avançava, o manuscrito ficava mais e mais carregado de considerações políticas. O capítulo "Você" situa obstinadamente as relações pessoais, privadas, inclusive as relações de amor e de casal, no contexto das relações sociais alienantes. Gide anotou, em algum lugar de seu diário, que sempre experimenta a necessidade de retomar, na obra seguinte, o contrapé do que acabou de escrever. Meu caso também era esse; a exploração de mim mesmo era literariamente um impasse. Não dava para escrevê-la pela segunda vez. Eu já estava preparando o trabalho seguinte, ainda pouco definido, lendo *Marx*, de Jean-Yves Calvez, os escritos de juventude de Karl Marx, *Staline*, de Isaac Deutscher. Acreditava que o relatório Khrouchtchev ao XX Congresso anunciava uma grande reviravolta, que os intelectuais poderiam ter um papel decisivo no movimento comunista. Começava a ficar parecido com os membros de um grupo de teatro descrito por Kazimierz Brandys, em *La Défense de Grenade*, que querem que todos os movimentos de seu espírito e de seu coração estejam conformes às exigências do Partido, em que cada um se acusa e acusa os outros de abrigar reticências interiores em face de sua tarefa. Eu não estava longe de considerar o amor um sentimento pequeno-burguês.

Eu "falava de você num tom de desculpa, como se falasse de uma fraqueza" (esse comentário no *Traître* faz agora todo o sentido): manifestamente, tomava por fraqueza, pelo menos no que escrevia, o apego que você tinha por mim. François Erval, naquela época, disse-me uma vez: "Você tem uma fixação revolucionarista". Você observava com inquietude, e às vezes com raiva, minha evolução pró-comunista. Ao mesmo tempo, me fazia gostar da expansão do nosso espaço privado, de nossa vida em comum. Uma anotação de Kafka, em seu diário, pode resumir meu estado de espírito na época: "Meu amor por você não ama a si mesmo". Eu não me amava por amar você.

Enfim, eu compreendi que só poderia me engajar ao lado dos comunistas por maus motivos; que os intelectuais tão cedo não poderiam impulsionar uma transformação no Partido Comunista Francês. Os novos conhecidos que fizemos no início de 1957 seguramente contribuíram para me fazer evoluir, assim como novas leituras: principalmente David Riesman e C. Wright Mills.

Quando *Le Traître* foi por fim publicado, tornei-me consciente de novo do que eu lhe devia: você deu tudo de si para me ajudar a me tornar eu mesmo. A dedicatória que escrevi no seu exemplar diz: “A você, Kay, que, ao me dar Você, deu-me Eu”. Se eu tivesse desenvolvido isso naquilo que se tornou o “meu livro”...

Será preciso recuar um pouco para abordar a nossa história. Durante os anos na Rue du Bac, conhecemos progressivamente um relativo bem-estar material. Porém, nunca levamos nosso nível de vida e de consumo à altura do nosso poder de compra. Havia entre nós um acordo tácito sobre isso. Tínhamos os mesmos valores, quero dizer, uma mesma concepção do que dá sentido à vida ou ameaça esvaziá-la. Que eu me lembre, sempre detestei o modo de vida dito “opulento” e os seus desperdícios. Você se recusava a seguir a moda e a julgava segundo seus próprios critérios. Recusava-se a deixar a publicidade e o marketing lhe darem necessidades que você não experimentava. Nas férias, ou nós ficávamos hospedados em casas de família, na Espanha, ou em albergues ou pensões modestas, na Itália. Foi em 1968 que, pela primeira vez, nós fomos a um grande hotel moderno, em Pugnochiuso. Terminamos, depois de dez anos, comprando um velho Austin. Ele não nos impediu de tomar a motorização individual como uma escolha política execrável, que dispõe os indivíduos uns contra os outros, pretendendo lhes oferecer um meio de subtrair-se ao lote comum. Você tinha, para as despesas correntes, um orçamento que definia e geria segundo as nossas necessidades. Isso me lembra que você tinha concluído, desde os sete anos de idade, que o amor, para ser verdadeiro, deve desprezar o dinheiro. Você o desprezava. Muitas vezes, doamos dinheiro.

Adquirimos o hábito de passar os fins de semana no campo. Depois, para não precisarmos nos hospedar em albergues, compramos uma casinha a cinqüenta quilômetros de Paris. Ali, sempre fazíamos caminhadas de duas horas. Você tinha uma cumplicidade contagiosa com tudo o que é vivo, e me ensinou a olhar e a apreciar o campo, as árvores e os animais. Eles a ouviam tão atentamente, que eu tinha a impressão de que estavam entendendo as suas palavras. Você descobriu para mim a riqueza da vida, e eu a amava através de você – ou o contrário, quem sabe (mas dá na mesma). Pouco depois de nos instalarmos na casinha, você adotou um gato cinza meio tigrado que, visivelmente faminto, estava sempre nos esperando à nossa porta. Nós o curamos da sarna. Na primeira vez que ele pulou espontaneamente no meu colo, tive a sensação de que estava me concedendo uma grande honra.

Nossa ética – se é que me atrevo a chamá-la assim – nos preparava para receber com alegria Maio de 68 e o que viria a seguir. Imediatamente, preferimos o VLR ao GP, Tiennot Grumbach e sua comunidade militante de Mantes a Benny Lévy e *La Cause du Peuple*.* No exterior, eu era tomado como um precursor ou mesmo um inspirador dos movimentos de Maio. Fomos juntos à Bélgica, à Holanda, à Inglaterra e depois, em 1970, a Cambridge (Massachusetts). Cinco anos antes, em Nova York, tínhamos detestado a civilização americana e seus desperdícios, sua fumaça, suas fritas com ketchup e Coca-

---

* Vive La Révolution (VLR): grupo maoísta, dirigido por Roland Castro e Tiennot Grumbach, sucessor do grupo Vive Le Communisme. Distinguia-se pelo viés libertário. Gauche Prolétarienne (GP), grupo também maoísta, mas não libertário, dirigido pelo filósofo e escritor Benny Lévy, secretário de Sartre. O jornal da GP, *La Cause du Peuple*, foi proibido em 1970, quando o grupo entrou na clandestinidade. [N. T.]

Cola; a brutalidade e o ritmo infernais da vida urbana por lá – nem suspeitávamos que em breve nada disso seria poupado a Paris. Em Cambridge, fomos seduzidos pela hospitalidade e pelo interesse com que nossos anfitriões tratavam as novas idéias. Descobrimos uma espécie de contra-sociedade que estava cavando suas galerias sob a crosta da sociedade aparente, na espera de poder emergir à luz do dia. Nunca tínhamos visto tantos "existencialistas", ou seja, pessoas decididas a "mudar a vida" sem nada esperar do poder político; pessoas que tratavam de viver junto de maneira diferente, de pôr em prática seus fins alternativos. Nós fomos convidados por um *think tank* em Washington. Você foi convidada a várias reuniões de *Bread and Roses* e conseguiu que eu pudesse assistir a elas. De volta a Paris, você trouxe vários livros; inclusive *Our Bodies, Our Selves*. Nós tínhamos um mundo em comum, do qual percebíamos aspectos diferentes. Essas diferenças eram a nossa riqueza.

A temporada nos Estados Unidos contribuiu para diversificar nossos focos de interesse. Ajudou-me a compreender que as formas e os objetivos clássicos da luta de classes não são capazes de mudar a sociedade, que a luta sindical deveria se deslocar para novos terrenos. No verão seguinte, recebemos com o maior interesse o texto preparatório de um seminário do qual umas vinte pessoas deveriam participar, em Cuernavaca, no México. Não sei como Jean Daniel obteve esse texto. Ele me pediu que o resumisse para a revista. O título provisório era "Retooling Society".* Começava afirmando que a busca do crescimento econômico iria provocar catástrofes múltiplas, que ameaçariam a vida humana de oito maneiras. Havia ali como que um eco do pensamento de Jacques Ellul e de Günther Anders: a expansão das indústrias transforma a sociedade em uma gigantesca máquina que, em vez de libertar os humanos, restringe seu espaço de autonomia e determina como e quais objetivos eles devem perseguir. Nós nos tornamos os serviçais dessa megamáquina. A produção não está mais ao nosso serviço, nós é que estamos a serviço da produção. E em razão da profissionalização simultânea dos serviços de todos os tipos, tornamo-nos incapazes de cuidar de nós mesmos, de autodeterminar as nossas necessidades e de satisfazê-las por nossa conta: dependemos, para tudo, de "profissões incapacitantes".

Discutimos esse texto durante as nossas férias de verão. Estava assinado por Ivan Illich. Ele trazia a idéia

---

* Em inglês, "reequipar", "renovar o maquinário" da sociedade. [N. T.]

de “autogestão”, muito em voga nas esquerdas, em uma nova perspectiva. Confirmava a urgência da “tecnocrítica”, da refacção das técnicas de produção, da qual encontráramos um protagonista em Harvard. Ele legitimava nossa necessidade de expandir nosso espaço de autonomia, de não pensá-lo apenas como necessidade privada. Provavelmente, ele desempenhou um papel no nosso projeto de construir uma casa de verdade. Você desenhou uma planta para ela durante aquelas férias de verão: uma casa em forma de U.

Assim, nós entramos juntos na era daquilo que depois se tornaria a ecologia política. Ela nos parecia um prolongamento das idéias e dos movimentos de 1968. Freqüentamos o pessoal de *La Gueule Ouverte* e da *Sauvage*,* Michel Rolant e Robert Laponche, em busca de outra orientação da tecnociência, da política energética e do modo de vida.

Encontramos Illich pela primeira vez em 1973. Ele queria nos convidar para um seminário sobre medicina, previsto para o ano seguinte. Não imaginávamos que

---

* *La Gueule Ouverte*: jornal satírico de militância ecológica, circulou na França entre 1973 e 1980. *Le Sauvage*, revista ecológica do grupo Le Nouvel Observateur, que circulou entre 1973 e 1981 e, de forma independente, em 1991-92. [N. T.]

a crítica da tecnomedicina em breve iria se juntar às nossas preocupações pessoais.

Em 1973, você trabalhava na editora Galilée, na criação de um departamento de direitos estrangeiros. Iria cuidar dele por três anos. Nos fins de semana, fazíamos piqueniques no canteiro de obras da nossa futura casa. Tudo nos unia, mas a sua vida andava meio estragada por umas contraturas e dores de cabeça sem explicação. O seu fisioterapeuta suspeitava que você fosse hipertensa; o seu médico, depois de exames inúteis, prescreveu-lhe tranqüilizantes. Os tranqüilizantes a deprimiram tanto que, para o seu próprio espanto, acontecia de você chorar. Depois disso, você nunca mais os tomou.

Fomos a Cuernavaca no verão seguinte. Estudei a documentação que Illich tinha reunido para a sua *Némésis Médicale*. Estava combinado que eu escreveria artigos na época do lançamento do livro. O primeiro artigo se intitulava "Quando a medicina faz adoecer". A maioria das pessoas estimaria hoje em dia que ele enunciava evidências. Na época, somente três cartas de médicos não o atacaram. Uma delas estava assinada por Court-Payen. Ele sublinhava a diferença entre síndrome e doença, e defendia uma concepção holística da saúde.

Procurei esse médico quando o seu estado de saúde se agravou dramaticamente. Você não conseguia mais se deitar, de tanto que a cabeça a fazia sofrer. Passava a noite em pé, na varanda, ou sentada numa poltrona. Eu queria acreditar que nós tínhamos tudo em comum, mas você estava sozinha na sua aflição.

Na radiografia de sua coluna, cabeça inclusa, feita pelo dr. Court-Payen, ele constatou a presença de bolinhas de produtos de contraste, disseminadas pelo canal raquidiano, desde a região lombar até a cabeça. Esse produto, o *lipiodol*, tinha sido injetado em você oito anos antes, quando foi operada de uma hérnia de disco paralisante. Eu ouvi o radiologista tranqüilizá-la: "Você vai eliminar esse produto em dez dias". Oito anos depois, uma parte do líquido tinha subido até as fossas cranianas, e outra parte formara um cisto na região cervical.

Foi para mim que Court-Payen comunicou seu diagnóstico: você tinha uma aracnoidite; não havia nenhum tratamento para essa afecção evolutiva.

Providenciei uns trinta artigos sobre mielografias publicados em revistas médicas. Escrevi a autores de alguns desses artigos. Um deles – um norueguês, Skalpe –, que havia feito autópsias em humanos e em animais de laboratório, demonstrara que o *lipiodol* nunca é eliminado e provoca patologias que vão se agravando. A carta dele terminava com estas palavras: "Agradeço a Deus por nunca ter utilizado esse produto". A carta de um professor de neurologia do Baylor College of Medicine (Texas) não era muito mais encorajadora: "A aracnoidite é uma afecção na qual os filamentos que recobrem o cordão medular propriamente dito, e às vezes o cérebro, formam um tecido cicatricial e comprimem tanto o cordão medular quanto as terminações nervosas que saem dele ou nele entram. Diversas formas de paralisia e/ou dores podem se seguir. A inibição de certos nervos ou um tratamento medicamentoso talvez possam ajudar".

Você não tinha mais nada a esperar da medicina. Recusava-se a se acostumar com os analgésicos e a depender deles. Decidiu então assumir o controle do seu corpo, da sua doença, da sua saúde; tomar o poder sobre a sua vida em vez de deixar a tecnociência médica tomar o poder sobre a sua relação com o seu corpo e consigo mesma. Você entrou em contato com uma rede internacional de doentes que se ajudam mutuamente trocando informações e conselhos depois de terem batido de frente, assim como você, com a ignorância e às vezes a má vontade da classe médica. Você se iniciou na ioga. Tomava posse de si administrando suas dores por meio de antigas técnicas de autodisciplina. A capacidade de compreender o seu mal e tratá-lo lhe parecia o único meio de não ser dominada por ele e pelos especialistas que a transformariam em consumidora passiva de medicamentos.

A sua doença nos levava ao campo da ecologia e da tecnocrítica. Meus pensamentos não a abandonavam quando preparei, para a revista, um dossiê sobre medicinas alternativas. A tecnomedicina me parecia uma forma particularmente agressiva daquilo que Foucault mais tarde chamaria de biopoder – o poder que os dispositivos técnicos assumem até sobre a relação íntima de cada um consigo mesmo.

Dois anos depois, fomos convidados pela segunda vez a Cuernavaca. Em seguida deveríamos ir a Berkeley, e depois a La Jolla, perto de San Diego, para encontrar Marcuse. Sem você saber, fiz uma foto sua, de costas: você andando com os pés na água, na enorme praia de La Jolla. Você está com cinqüenta e dois anos. Está maravilhosa. É uma das minhas imagens preferidas de você.

De volta, observei longamente essa foto, quando você me contou que se perguntava se não tinha câncer. Você já havia se perguntado isso antes de irmos para os Estados Unidos, mas ainda não tinha querido me dizer. Por quê? "Se eu devo morrer, quero ver a Califórnia antes", me disse, tranqüilamente.

O seu câncer do endométrio ainda não havia sido detectado nos exames anuais. Com o diagnóstico feito, e a data da operação marcada, nós fomos passar oito dias na casa que você tinha concebido. Inscrevi o seu nome na pedra com um buril. Aquela casa era mágica. Todos os espaços tinham uma forma trapezoidal. As janelas do quarto davam para a copa das árvores. Na primeira noite, nós não dormimos. Um escutava a respiração do outro. Depois um rouxinol se pôs a cantar, e um segundo, mais longe, a lhe responder. Nós nos falamos muito pouco. Passei aquele dia cavando e, de tempos em tempos, levantava os olhos para a janela do quarto. Você ficava ali, imóvel, o olhar fixo ao longe. Tenho certeza que você trabalhava para domesticar a morte, para combatê-la sem medo. Estava tão bela e resoluta em seu silêncio que eu não seria capaz de imaginar que você pudesse renunciar à vida.

Tirei uma licença e dividi com você o quarto na clínica. Na primeira noite, pela janela aberta, escutei toda a *Nona sinfonia* de Schubert. Ficou gravada em mim. Lembro-me de cada momento que passei naquela clínica. Pierre, o nosso amigo que era médico do CNRS,* que toda manhã vinha saber notícias suas, me disse: "Você está vivendo momentos de uma excepcional intensidade. Vai se lembrar disso para sempre". Eu quis saber então quais eram as chances que você tinha de sobreviver por mais cinco anos, segundo a opinião do médico oncologista. Pierre me trouxe a resposta: "*Fifty-fifty*". Concluí que finalmente devíamos viver o nosso presente em vez de nos projetarmos sempre para o futuro. Li dois livros de Ursula LeGuin, trazidos dos Estados Unidos. Eles me reconfortaram nessa decisão.

Quando você saiu da clínica, voltamos para a nossa casa. O seu entusiasmo me deixava encantado e me tranqüilizava. Você havia escapado da morte, e a vida assumia um novo sentido, um novo valor. Illich compreendeu isso imediatamente, quando a viu, alguns

* Centre National de la Recherche Scientifique, órgão ligado ao ministério francês do Ensino Superior e da Pesquisa. [N. T.]

meses mais tarde, durante uma noitada. Ele a olhou longamente nos olhos e disse: “Você viu o outro lado”. Eu não sei o que você respondeu, nem o que mais vocês conversaram. Mas ele me disse estas palavras, logo depois: “Que olhar! Agora entendo o que ela representa para você”. Ele nos convidou mais uma vez para irmos à sua casa, em Cuernavaca, acrescentando que poderíamos ficar lá por quanto tempo quiséssemos.

Você tinha visto “o outro lado”; voltara do país do qual não se volta. Isso havia mudado seu modo de ver as coisas. Nós tomáramos a mesma resolução sem nos consultarmos mutuamente. Um romântico inglês a resumiu em uma frase: “*There is no wealth but life*”.*

Durante os seus meses de convalescença, decidi que deveria pedir minha aposentadoria aos sessenta anos. Pus-me a contar as semanas que me separavam dela. Cultivei o prazer de cozinhar, de procurar os produtos orgânicos que a ajudavam a recuperar as forças, e encomendava na Place Wagram as magistrais fórmulas que um homeopata lhe recomendava.

---

* “Não há riqueza que não seja a vida.” [N. T.]

A ecologia estava se tornando um modo de vida e uma prática cotidiana, sem deixar de implicar a exigência de outra civilização. Eu havia chegado à idade em que a gente se pergunta o que fez da própria vida, o que queria ter feito dela. Tinha a impressão de não ter *vivido* a minha vida, de tê-la sempre observado à distância, de só ter desenvolvido um lado de mim mesmo, e de ser pobre como pessoa. Você era e sempre tinha sido mais rica que eu. Você se desenvolvia em todas as suas dimensões. Estava firme em sua vida, enquanto eu sempre me apressara a passar à tarefa seguinte, como se a nossa vida só fosse começar mais tarde.

Eu me perguntava o que era o inessencial ao qual deveria renunciar para me concentrar no essencial. Pensei comigo mesmo que, para compreender o alcance dos transtornos que se anunciavam em todos os campos, precisava de mais espaço e tempo de reflexão; coisas que o exercício do jornalismo em tempo integral não me permitia. De verdadeiramente inovador, eu não esperava nada da vitória da esquerda em 1981, e lhe disse isso depois de me encontrar com dois ministros do governo Mauroy no dia seguinte à nomeação. Surpreendeu-me que a minha saída da revista, depois de vinte anos de colaboração, não tenha sido tão difícil, nem para mim, nem para outras pessoas. Lembro de ter escrito a E. que, no final das contas, só uma coisa me era realmente essencial: estar com você. Eu não posso me imaginar escrevendo se você não mais existir. Você é o essencial sem o qual todo o resto, importante apenas porque você existe, perderá o sentido e a importância. Disse-lhe isso na dedicatória do meu último escrito.

Vinte e três anos se passaram desde que fomos viver no campo. A princípio na "sua" casa, que liberava uma energia meditativa. Nós a saboreamos por apenas três anos. O canteiro de obras de uma central nuclear nos enxotou dela. Encontramos outra casa, bastante antiga, fresca no verão, quente no inverno, com um terreno enorme. Você poderia ter sido feliz ali, onde não havia nada além de uma campina, que você transformou num jardim de sebes e arbustos. Plantei duzentas árvores. Durante alguns anos, ainda viajamos um pouco, mas as vibrações e os solavancos dos meios de transporte, fossem quais fossem, causavam-lhe dores de cabeça e em todo o corpo. A aracnoidite a obrigou a abandonar, pouco a pouco, a maioria das suas atividades favoritas. Você consegue esconder os sofrimentos; nossos amigos sempre a acham "em plena forma". Você não parou de me encorajar a escrever. Ao longo dos vinte e três anos passados na nossa casa, publiquei seis livros e centenas de artigos e entrevistas. Nós recebemos dezenas de visitantes vindos de todos os continentes, fui entrevistado dezenas de vezes. Eu certamente não estive à altura da resolução que tinha tomado havia trinta anos: a de viver o presente, atento mais que tudo à riqueza que é a nossa vida comum. Agora eu vivo de novo, e com um sentimento de urgência, os instantes em que tomei essa resolução. Não tenho nenhuma obra mais importante em elaboração. Não quero mais – segundo a fórmula de Georges Bataille – "deixar a existência para mais tarde". Estou atento à sua presença como estive desde o início, e gostaria de fazê-la sentir isso. Você me deu toda sua vida e tudo de si; e eu gostaria de poder lhe dar tudo de mim durante o tempo que nos resta.

Você acabou de fazer oitenta e dois anos. Continua bela, graciosa e desejável. Faz cinqüenta e oito anos que vivemos juntos, e eu amo você mais do que nunca. Recentemente, eu me apaixonei por você mais uma vez, e sinto em mim, de novo, um vazio devorador, que só o seu corpo estreitado contra o meu pode preencher. À noite eu vejo, às vezes, a silhueta de um homem que, numa estrada vazia e numa paisagem deserta, anda atrás de um carro fúnebre. Eu sou esse homem. É você que esse carro leva. Não quero assistir à sua cremação; nem quero receber a urna com as suas cinzas. Ouço a voz de Kathleen Ferrier cantando: "*Die Welt ist leer, Ich will nicht leben mehr*",* e desperto. Eu vigio a sua respiração, minha mão toca você. Nós desejaríamos não sobreviver um à morte do outro. Dissemo-nos sempre, por impossível que seja, que, se tivéssemos uma segunda vida, iríamos querer passá-la juntos.

21 de março - 6 de junho de 2006

* Em alemão, "O mundo está vazio, não quero mais viver". [N. T.]

POSFÁCIO

André Gorz é um dos mais importantes intelectuais da atualidade. Filósofo e jornalista, sua produção bibliográfica inclui quase duas dezenas de livros (oito deles já publicados no Brasil), centenas de artigos e de entrevistas, que versam sobre os mais relevantes temas da teoria social e da política contemporânea. Filho de mãe católica e pai judeu, André Gorz, cujo nome verdadeiro é Gerhard Horst, nasceu em Viena, na Áustria, em fevereiro de 1923. Em 1938, foi levado para a Suíça por sua mãe, que queria evitar uma eventual convocação pelo exército nazista; ou mesmo por temer que ele fosse preso por causa de sua ascendência judaica, como ocorrera com seu pai quando da ocupação da Áustria pelas tropas de Hitler. Na Suíça, onde permaneceu até o final da guerra, ele estudou engenharia química e entrou em contato com a obra de Jean-Paul Sartre, da qual se tornou um dos principais conhecedores.

Radicou-se na França após o fim da Segunda Guerra Mundial, onde adotou o pseudônimo André Gorz, com o qual ficou mundialmente famoso. Na França, atuou como jornalista em diversas publicações, com destaque para as revistas *Les Temps Modernes* e *Le Nouvel Observateur*, das quais foi editor, respectivamente, de Política e de Economia. Paralelamente à atividade de jornalista, ele desenvolveu também uma intensa atividade teórica e política, tendo sido um dos principais inspiradores de Maio de 1968. Seus primeiros livros, publicados a partir de 1958, são importantes contribuições ao chamado marxismo-existencialista francês do pós-guerra.

O marxismo-existencialista é uma corrente teórico-filosófica que valoriza a autonomia do indivíduo e se contrapõe às correntes teóricas que dão prioridade às instituições e estruturas sociais. É uma corrente de pensamento que se assenta, em grande medida, nas teorias de Jean-Paul Sartre e de Karl Marx. Marx e Sartre são, de fato, os autores que mais parecem ter influenciado o pensamento de André Gorz; e não apenas no início de sua formação. No entanto, sua teoria social transcende a influência dos mestres e mostra-se bastante original, sobretudo em sua capacidade de detectar a dinâmica das mudanças contemporâneas.

Não foi por outra razão que, nas décadas de 1960 e 70, ele se tornou uma das principais referências teóricas para os estudiosos do trabalho e do sindicalismo; na mesma época, um de seus livros, *Estratégia operária e neocapitalismo* (1964), transformou-se numa espécie de bíblia para os militantes da Nova Esquerda. Sua influência é também perceptível em outras áreas. Assim, a partir da metade da década de 1970, ele volta sua atenção para o tema da ecologia, sobre o qual escreve três livros (sendo dois deles com outro pseudônimo: Michel Bosquet) e diversos artigos que se tornaram referência importante para os movimentos ecológicos e para os estudiosos da ecologia. *Adeus ao proletariado*, publicado em 1980, causou grande impacto em pesquisadores e militantes de esquerda; o livro colocava em questão postulados antigos e sagrados do marxismo e, por isso, gerou muita polêmica e reações diversas, inclusive algumas adversas. Esse livro, juntamente com os outros cinco que publicou até 2003, é no conjunto uma das melhores contribuições para a intelecção da sociedade atual e uma das mais profundas críticas à irracionalidade da racionalidade capitalista em suas diferentes dimensões, da destruição do ambiente natural à mercantilização das relações sociais.

André Gorz é um teórico da questão social e como tal não se limita a fazer diagnósticos de época; ele preocupa-se em formular proposições de políticas públicas que apontem uma solução radical, mas ao mesmo tempo realista, da crise social atual. Por isso, elabora propostas factíveis para a transformação social que vão além da mera reprodução do sistema, mas nem por isso compartilha com estratégias de tipo leninista. As propostas de redução programada do tempo de trabalho, de uma renda de cidadania e de estímulo às atividades de inegável valor social, mas sem valor de mercado, têm o objetivo de se contrapor à tendência do capitalismo contemporâneo de expandir as relações de mercado para todas as esferas da vida. Enfim, sua abordagem da crise social atual é uma crítica radical da mercantilização das relações sociais e nisto difere daquelas das ortodoxias neoliberal, keynesiana e marxista ortodoxa, que professam, todas elas, a mesma crença no trabalho assalariado como uma panacéia para todos os males.

Carta a D. – História de um amor é o último livro de André Gorz; ele o escreveu para homenagear sua mulher, Dorine, com quem partilhou a vida por quase sessenta anos. É possível que muitos dos leitores terminem a leitura deste livro com um sentimento semelhante ao meu: o suicídio de André e Dorine, em 22 de setembro último, evento que chocou a mim e a muitas outras pessoas, foi um puro ato de amor.

São Paulo, 26 de novembro de 2007

JOSUÉ PEREIRA DA SILVA é professor de sociologia no IFCH/Unicamp. Autor de *André Gorz: Trabalho e política* (Annablume/Fapesp, 2002) e organizador da coletânea *André Gorz e seus críticos* (Annablume, 2006).

BIBLIOGRAFIA DO AUTOR

Le Trâitre. Prefácio de Jean-Paul Sartre. Paris: Seuil, 1958.

La Morale de l'Histoire. Paris: Seuil, 1959.

Stratégie ouvrière et néocapitalisme. Paris: Seuil, 1964.

Le Socialisme difficile. Paris: Seuil, 1967.

Réforme et révolution. Paris: Seuil, 1969.

Critique de la division du travail (coletivo). Paris: Seuil, 1973.

Critique du capitalisme quotidien. Paris: Galilée, 1973.

Écologie et politique. Paris: Galilée, 1975.

Fondements por une morale. Paris: Galilée, 1977. Na carta, o autor se refere a este texto, escrito no final dos anos 50, como *L'Essai*.

Écologie et liberté. Paris: Galilée, 1977.

Écologie et politique. Edição revista e aumentada. Paris: Seuil, 1978.

Adieux au prolétariat – Au delà du socialisme. Paris: Galilée, 1980.

Adieux au prolétariat – Au delà du socialisme. Edição aumentada. Col. Points. Paris: Seuil, 1981.

Les Chemins du paradis. Paris: Galilée, 1983.

Métamorphoses du travail – Quête du sens. Paris: Galilée, 1988.

Capitalisme, socialisme, écologie. Paris: Galilée, 1991.

Misères du présent, richesse du possible. Paris: Galilée, 1997.
L'Immatériel – Connaissances, valeur et capital. Paris: Galilée, 2003.
Métamorphoses du travail – Critique de la raison économique. Reedição. Paris: Gallimard, 2004.
Le Traître, édition augmentée, suivi de Le Vieillissement. Col. Folio. Paris: Gallimard, 2005.
Lettre à D. – Histoire d'un amour. Paris: Galilée, 2006.

NO BRASIL

Estratégia operária e neocapitalismo. Trad. Jacqueline Castro. Rio de Janeiro: Zahar, 1968.
O socialismo difícil. Trad. Maria Helena Kuhner. Rio de Janeiro: Zahar, 1968.
Adeus ao proletariado – Para além do socialismo. Trad. Angela Ramalho Vianna e Sergio Goes de Paula. Rio de Janeiro: Forense Universitária, 1982.
Crítica da divisão do trabalho (coletivo). Trad. Estela dos Santos Abreu. São Paulo: Martins Fontes, 2001.
Metamorfoses do trabalho – Busca do sentido, crítica da razão econômica. Trad. Ana Montoia. São Paulo: Annablume, 2003.
Misérias do presente, riqueza do possível. Trad. Ana Montoia. São Paulo: Annablume, 2004.
O imaterial – Conhecimento, valor e capital. Trad. Celso Azzan Jr. São Paulo: Annablume, 2005.

Coordenação editorial JOAQUIM ANTONIO PEREIRA e AUGUSTO MASSI
Projeto gráfico FLÁVIA CASTANHEIRA
Preparação PAULO WERNECK
Revisão REGINA PEREIRA, CLÁUDIA CANTARIN e MARIA HELENA ARRIGUCCI

Dados Internacionais de Catalogação na Publicação (CIP)
(Câmara Brasileira do Livro, SP, Brasil)

Gorz, André [1923-2007]
Carta a D. – História de um amor: André Gorz
Título original: *Lettre à D. – Histoire d'un amour*
Tradução: Celso Azzan Jr.
Posfácio: Josué Pereira da Silva
São Paulo: Annablume: Cosac Naify, 2008
Bibliografia, 80 pp.

ISBN 978-85-7419-774-6 (Annablume)
ISBN 978-85-7503-605-1 (Cosac Naify)

1. Amor na literatura 2. Cartas de amor 3. Filosofia européia 4. Filósofos – França – Biografia 5. Gorz, André, 1923-2007 6. Relações amorosas I. Azzan Júnior, Celso II. Silva, Josué Pereira da III. Título

07-10313 CDD 847

Índice para catálogo sistemático:
1. Correspondência amorosa: literatura francesa 847

ANNABLUME EDITORA.COMUNICAÇÃO
Rua Padre Carvalho, 275
Pinheiros 05427-100
São Paulo SP
Tel/Fax [55 11] 3812 6764
www.annablume.com.br

Televendas [55 11] 3031 9727

COSAC NAIFY
Rua General Jardim, 770, 2º andar
01223-010 São Paulo SP
Tel [55 11] 3218 1444
Fax [55 11] 3257 8164
www.cosacnaify.com.br

Atendimento ao professor [55 11] 3218 1473

FONTE Fournier PAPEL Pólen bold 90 g/m^2 IMPRESSÃO Geográfica TIRAGEM 5000